U0148708

娑羅鶴變詩稿

kama 的「異國」、「國風」與「風情」

羅浩原

2004 · 台北
文史哲出版社印行

國家圖書館出版品預行編目資料

娑羅鶴變詩稿：Kama 的「異國」、「國風」
與「風情」/ 羅浩原著. -- 初版. -- 臺北市：
文史哲,民 93
　　面；　公分
　　ISBN 957-549-533-0 (平裝)

851.486　　　　　　　　　　　　　　92022019

娑 羅 鶴 變 詩 稿

－Kama 的「異國」、「國風」與「風情」

著　　者：羅　　　　浩　　　　原
出 版 者：文　史　哲　出　版　社
http://www.lapen.com.tw
登記證字號：行政院新聞局版臺業字五三三七號
發 行 人：彭　　　　正　　　　雄
發 行 所：文　史　哲　出　版　社
印 刷 者：文　史　哲　出　版　社
臺北市羅斯福路一段七十二巷四號
郵政劃撥帳號：一六一八〇一七五
電話 886-2-23511028・傳真 886-2-23965656

實價新臺幣二〇〇元

中華民國九十三年 (2004) 一月初版

獻給 S. P.

「苦哉其娑羅林。梵云娑羅。此云堅固。凌冬不凋也。四雙八隻合為二樹。垂條下掩。離離皓素如白鶴色。以是謂之鶴樹也。勁葉含霜凌冬不凋。故謂之堅固林也。」

--[北宋]神清,《北山錄·卷一》

「絕句體有詠史，論古事也；有竹枝，記風土也；有宮詞，
敘禁掖也。是編眾裁萃焉。」

--[清]趙殿成，〈南宋雜事詩題辭〉

目錄

卷二、行在臺北・夢華錄

卷三、古今懸隔·風情異

震旦山水

希臘神話

〈詩序/失序〉

辜：「喔，你在叫我嗎？」(設計對白)

別讓辜鴻銘成為妳我間的障礙

其一、剝骨鵝肉

台北東區的一條巷子裡
有一家小吃店
招牌高掛：「鴻銘剝骨鵝肉」
我每次經過都忍不住暗笑不已
辜鴻銘詭異犀利的文章
堪稱「剝骨」，而「鵝肉」
又是種吃了會瘡發身亡的東西
時常路過看到的一塊招牌
竟讓辜鴻銘成為揮之不去的意像
這真是種有趣的折磨

其二、從知識份子邊緣化到邊緣知識份子

也許我從來不曾討好過妳
但並不表示我從來不去討好妳
誰是辜鴻銘？
的確，這絕不是個好話題
只會讓年輕學生與中產階級走掉
真正的菁英又不屑談論
至少不屑與我談論
「從知識份子邊緣化到邊緣知識份子」
「別讓辜鴻銘成為妳我間的障礙」
如是妳聞
如果這是首情詩
如此爛的標題
究竟被我給下下來了
「改天去華西街吃剝骨鵝肉，如何？」
「或是來趟檳榔嶼三日遊？」
(辜鴻銘的出生地喔！)
還真是「我以我冷諫軒轅」
啊！
(集合冷到不行的僻典來搞笑，妄想以此挑戰年輕學生與中產
階級乃至於菁英份子的新詩品味，這種策略還真是愚蠢啊！)
「難怪我既爭取不到讀者
也無法討好妳」
(我這可不是在裝可憐討好妳喔…)

其三、日俄戰爭

恰恰是那些普通的民眾——像《愛國時報》編輯約翰‧史密斯(John
Smith)、亨德史弟茲(Houndsditch)的博布斯(Bobus)，他在卡萊
爾時代曾是香腸和果醬製造商，現在則是巨大的「無畏戰艦」的
主人，高利貸者摩西‧拉姆(Moses Lump)——他們都有足夠的力
量去實現自己的意志，並能在政府中講話。實際上，這種力量就

是要當今的統治者、軍人和外交官按他們的意志辦事。因此,如果你深入思考一下就會發現:正是那三種人——約翰·史密斯、博布斯和摩西·拉姆們應對這場戰爭[一次世界大戰]負責。

——辜鴻銘,〈群氓崇拜教或戰爭與戰爭的出路〉,《中國人的精神》(*The Spirit of China*),(北京:「北京每日新聞社」,1915、北京商務印書館,1922)。

要如何拉近妳與辜鴻銘的距離呢?
首先是長相,
他青年時期的照片有點像港星梁家輝
中年時期則有點像黃秋生
如何,能不能使妳拼湊出他的長相?
其次是日俄戰爭…

俄國的『獨裁』,那皮鞭,那鞭子的強力毀掉了,從此不再存在任何東西能保護俄國的統治者、軍人和外交官們免於群氓的恐懼…這場大戰[一次世界大戰]的真正根源就是俄國的群氓恐懼…這場戰爭真正的第一個根源…是群氓崇拜…正是大不列顛的那種群氓崇拜,導致及促成了那場日俄戰爭。

或許我們該先問問
妳我經歷的那場大戰是什麼?
或者,日本脫亞入歐了嗎?
俄國橫跨歐亞,又不屬於歐亞
愛情是專制獨裁還是立憲民主?
還是如歐亞間的戰爭——我們希臘、他們波斯?
(不要忘了,這是一首情詩!)

假設妳、我與辜鴻銘的距離如三角形,
已知我與辜鴻銘很接近,
妳卻距離辜鴻銘很遠;
那麼,我與妳之間的距離…喔!不!

這樣一來辜鴻銘距離妳越遠
妳就會距離我越遠！

那要如何拉近辜鴻銘與妳的距離呢！
已知妳距離辜鴻銘很遠，
只有當我也距離他遠遠的時候，
妳我才有可能距離很近！
(近水樓臺先得月)
(波羅的海艦隊就是一個教訓)

但如果妳也很親近辜鴻銘呢？
辜鴻銘(1857-1928)，字湯生，檳榔嶼華僑，祖籍福建同安。
妳看，人家 Thomson 講台語嘛也通…
而且是辜顯榮的堂兄弟喔！
(難怪他晚年貌似辜振甫)
「那麼」，妳指指對馬海峽——
「日俄戰爭」關我們什麼事？

其四、辜鴻銘所不知道的事情

什麼是辜博士(或大清文科進士)所不知道的呢？
一位維多利亞與威瑪共和時代的知識份子
(同時是馬來亞的峇峇(Baba)、大清的遺老)
有什麼事情對他至關緊要
卻被他完全忽略或被蒙蔽而未聞呢？
假如我能找到辜鴻銘所不知道的事情
那麼就能超越他吧？或是解決我們的時代問題?
以及我們的愛情問題？(開什麼玩笑！)
於是我快樂地尋找屬於辜鴻銘時代
但不爲辜鴻銘所知的事情

基本的邏輯是：先列出辜所知道的事情
再列出辜鴻銘時代所有的事情
相減剩下的就是我想知道的事情
複雜的研究過程我就不說了
簡單的結論是：對戰爭的態度

誠然，後克里米亞戰爭時代太逸樂了
乃至於研發出一堆稀奇古怪的衛浴和家電用品
辜鴻銘喜歡洗盆浴嗎？或是享受淋浴？
他堅持上北京的澡堂與毛坑嗎？
他人生的第一台洗衣機是什麼品牌？
他有偷偷在過洋人的生活嗎？
太可惜了！辜博士自以為了解第一次世界大戰
其實這種事應該去問辜太太…
正因承平日久，婚姻制度、財產繼承與裙帶關係
讓男人作繭自縛呀！

其五、別問辜鴻銘為妳做了什麼，要問妳為辜鴻銘做了什麼

你到底對我做了什麼？
WHAT HAVE YOU DONE TO ME？
這可能是恐怖片中最恐怖的台詞——
從渾渾噩噩的日常生活中驚醒
發現熟悉的枕邊人
早已對自己施加了難以言喻的傷害

女人對她的男人其實有一種埋得很深的
(不是屍體而是)不信任感
就像公民對國家或國家對公民
就像我對辜鴻銘！

其六、你還要辜鴻銘到什麼時候

妳終於說了句不可思議的句子：
「你到底還要辜鴻銘到什麼時候！」
看吧！就是這種不信任感
受不了我這種挖屍式的約會閒談
其實我只是想用「辜鴻銘」這三個字
來借代——「我愛妳」！

卷一

娑羅鶴變·異國風

紅毛猩猩

被暴戾地獵殺
細膩地剝皮
成為活生生的標本

被熾熱地烹煮
冷靜地重組
成為白森森的骨架

紅毛猩猩　猩猩毛紅

獵人受僱於探險家
探險家受僱於博物學家
這些人如今都死了
而我在博物館中看到

猩猩紅毛　毛紅猩猩

我也會死去
但詩會成為紅毛猩猩
漫遊婆羅洲

Fri Feb 8 01:36:59 2002

阿公的蘭花架

屋簷下還放著幾塊蛇木
我想起了空蕩蕩的蘭花架
才釘好阿公就與舅舅們
移民巴西
以後再也沒有回來

蘭花架就在我童年中
漸漸腐朽
直到埋沒在我成年的記憶中
直到阿公的骨灰
歸葬鹿港

童年有許多事情
成年後才領悟
吞噬性的亞馬遜河國度
豈非異種蘭花的故鄉
阿公退休後釘起的蘭花架
其實是一種預言

然而母親卻說
阿公退休後釘起了蘭花架
趕上了蘭花熱潮
想多賺一點錢
然後趕上了移民熱潮
想幫舅舅們闖一番事業

屋簷下還放著幾塊蛇木
如糾纏的記憶
黑暗、粗糙、沉靜
缺乏養份卻也不易腐敗
而且仍能培養蘭花

2002-06-23 22:49:09

(曾刊於：[香港]《詩網絡》，第九期，2003.06。)

遇到巴厘島女子，向我問路

星期日傍晚
走在敦化南路上
遇到巴厘島女子，向我問路
她講了幾句含糊不清的中文
掏出一張皺巴巴的地址
Can you speak English？
O.K.我們開始溝通
原來她要去民生、民權路那邊
卻走到了成功市場附近
我告訴她走錯方向了
應該向北走！

我帶她到公車牌等車
原來一大早她到台北車站
腦中浮出南蠻鴃舌吱吱喳喳
Oh, you are from Bali,
it's a beautiful island,
very famous island...
腦中浮出 Clifford Geertz
Negara 與豪華壯烈的火葬

沒想到她驕傲地說小時候
人類學家 Geertz 到過她的 Desa(村落)
還曾經抱著她去看鬥雞...

抱歉,以上三行只是我的想像
事實上我與她很快就無話可談
教她搭 285 公車後我就走了

一路上我不斷想著
爲什麼我對巴厘的了解這麼膚淺呢？
我甚至說不出一個馬來單字
除了 Pulau，就是島的意思
在 Pulau Taiwan，然後就沒了
我除了瞎掰一些劇情
例如說巴厘古稱婆利，又作貓里
其地有沙孤樹，就是西穀米
曾經被滿者伯夷王朝征服
然後就…就發現我也走錯方向
我摸摸鼻子
回頭朝家的方向走

2002-06-17 19:05:31

(曾刊於：《創世紀》，第 133 期，2002.12.)

住在我家樓下的菲律賓女子

晚上下樓丟垃圾的時候
會遇到整條巷子的菲律賓女子
嘰嘰喳喳快樂聊天
等著垃圾車緩緩駛來
我完全聽不懂她們在講什麼
大概是 Tagalog 吧
人們只學習有錢人的語言
所以我們學英語日語
她們現在得學中文

住在我家樓下的菲律賓女子
臉龐曬成小麥色
我用英文問她家鄉在哪
她說馬尼拉
事實上我也只知道馬尼拉
我想她大概也懶得多費口舌
在電梯遇到她時我會說：
Your clos is very nice, I mean your dress,
very colorful!
她會笑著說：
Dank yu, Dank yu, yu too.

以後我在喝林鳳營鮮奶時
總會想到大海盜林阿鳳
曾率船六十、率眾五千攻打呂宋
連帶想到國姓爺攻台後震驚馬尼拉
但我終究壓抑住好奇心
沒有找機會問她是否聽說過
Lim-a-hong 與 Koxinga?
事實上這是我對菲律賓僅有的認知

那麼她喜歡台北嗎?
她對台灣的認知又如何?
唉,算了,我連林鳳營都沒機會去

後來星期日晚上
當我約會完回到家門口
會看到她與男朋友坐在台階上
訴說著未講完的情話
我假裝沒看見,揚著頭走進公寓
心中暗暗祝福這兩人
至少今晚垃圾車不會經過
台北也還有愛情
後來她逃跑了

從此再沒聽說過她的消息
在這混亂的台北市
我知道她只是個鄉下農家女
從小打赤腳下田幫忙
在我們這裡喜歡照顧大樓植物
她在馬尼拉恐怕也沒呆幾天
在台北逃跑,然後呢?
她的男朋友會照顧她嗎?
以後每當我假日經過台北車站
總會看看有沒有嘰嘰喳喳的一群人
有沒有衣服花色鮮豔
住在我家樓下的菲律賓女子

2002-06-18 00:57:46

(曾刊於:《創世紀》,第 134 期,2003.03.)

購物頻道上，看到越南新娘仲介廣告

百年身世事情，色才二字兩生猜嫌。
一經滄海桑田，事於眼見太煩心傷。

——[越]阮攸，《金雲翹》

Chao ong (您好)！
Chao chi (妳好)！ 來，請看鏡頭！
妳聽得懂國語？
懂一點，新娘學校有教，還會一點客家話。
這麼厲害，哪裡學的?
我 ba ngoai，是不是叫外婆? 是客家人。
哇，那客家話嘛通喔!
阮小姐，請向電視機前的觀眾自我介紹。
各位台灣的觀眾，大家好。
我是·阮·翠·翹·

購物頻道上，看到越南新娘仲介廣告
我突然想到社會新聞報導
(天機玄妙謂何，紅顏之數風花所纏。)
市警局日前查獲越南新娘仲介
假結婚真賣淫的人蛇集團
(憐翹身分嬋娟，無緣賣到商船匪人。)
逮捕數名馬伕與嫖客
救出五位年齡不滿二十的女子
(姦謀以假為真，聘儀認清迎親定期。)
業者利用人頭新郎騙取新娘家屬信任
支付聘金後就在當地登記結婚
(喜如入手令旗，瞻其玉面聽其金腔。)
越南新娘萬萬沒想到
一到台灣就被推入火坑

（實為國色天香，千金一笑價當若何。）
但警方也之能將她們安置在拘留所
等待境管局進行遣返事宜

妳今年幾歲?
十九．
這樣的話生肖屬狗，有幫夫運喔！
那生日幾月幾號?
九月十一，
星座是處女座，家住哪裡?
胡志明市。
就是以前的西貢，唸過書嗎?
高中畢業。
平常喜歡做什麼，有什麼興趣嗜好?
喜歡…看電影、逛街。
對喔，女孩子大多喜歡逛逛街、買買東西…
那妳喜歡怎樣的結婚對象?
成熟、照顧家庭、有責任感的男人。
妳對新郎的年齡、條件有沒有要求?
我希望對方是溫柔、誠實的男人。

當然報紙也報導幸福家庭
生兒育女、婆婆疼惜
（陳情翹始申私，望其下顧為兒答償。）
這群女子默默來到台灣
老吾之老、幼吾之幼
（嗟乎身世不常，甘於白骨他鄉何求。）
她們如下凡的仙女
卻很難得到居留權與工作權
（言之不盡慘愁，更深鍾點南樓幾回。）
她們默默學習人間的語言
只能對公共電話垂淚訴說心事

（門前花轎抬來，管絃喧動已催別期。）
回天堂的羽衣已被藏起
沒幾個月境管局又頻頻催促離境
（一家惆悵分離，眼珠迷鳳心思亂蠶。）
我意外地轉到這個頻道
心中低迴著《金雲翹》…

也就是說妳比較重視人的內心？
對，只要他能給我安全感。
那對外表、長相是不是比較不注重？
當然身體要健康，健康最重要。
如果已經四十幾歲了，妳的感覺如何？
這要看緣分吧，有緣的話都有可能。
真的是，只要有緣的話都有可能！
我們今天很高興訪問到阮小姐，
請站起來，讓大家看看妳美麗的長衫。
謝謝主持人的誇獎。
謝謝，那我們的節目在此告一段落，
要聯絡我們，請洽螢幕下方的地址電話。
謝謝，再見！
Chao anh（再見）！

斯豐彼嗇理常，紅顏本是蒼蒼所仇。
燈前芳稿搜求，風情古錄尚留史傳。

（以上訪談純屬虛構，詩是真的。）

2002-06-20 02:26:48

（曾刊於《壹詩歌》，第二期，2004.01）

註：

《金雲翹》是十九世紀越南詩人阮攸以字喃撰寫、長達三千多行的六八體詩歌。引自：[越]阮攸(Nguyen Du, 1765-1820)著，黎裕 譯，〈金雲翹〉(*Kim Vân Ki`êu*)。參見：陳益源，《王翠翹故事研究》，(台北：里仁，2001)。《金雲翹》的字喃與越南語文本，可參考以下網站：

http://vhvn.com/Kieu/kieu.html

http://www.vietshare.com/vanhoc/kieu.asp

莫名其妙出現在褲口袋裡的 50 SEN

走在台北街頭
習慣性地摸摸褲口袋
掏出零錢來算算
乖乖！怎麼出現一枚怪錢——
BANK NEGARA MALAYSIA
1991 50 SEN
正面有朵奇怪的花
背面有奇怪的圖案

怎麼回事！？
為什麼這枚銅板出現在口袋？
突然有種驚悚的感覺
一枚神秘的馬來錢

仔細想想
大概是便利商店找錯錢了
50SEN 正好與我們的 50 元大小相同
大概是某位馬來西亞訪客
給錯了銅板
於是它在粗心大意的台北
神奇地流浪

回到家後我上網查詢
原來正面的花是馬來西亞國花
Burga Raya(木槿花)
背面則是月形風箏 Wau Bulan
可以飛得很高很遠

2002-07-17 18:38:39

註：

Burga Raya 是馬來語「國花」的意思，馬來西亞的國花是木槿花，又稱「大紅花」。Wau Bulan 則是馬來西亞的傳統風箏，在節慶儀式時施放。

夜訪中和緬甸街

週日的市集散盡後
我才悄悄地潛入「華新街」
走進街口就看到「東南書局」
心中暗自驚喜
以為可以買到一份
過期的緬甸華報
可以滿足我的諜報遊戲
然而那只是一家老租書店
囤積著武俠言情推理與漫畫
屬於我高中時代
再台北也不過的集體記憶

我不甘心地溯街而上
尋找一家名叫「勃固」的餐館
十一月下旬的夜冰涼如「依洛瓦底」
我斜眼窺伺有無「點燈節」的行跡
一不小心就岔進「忠孝」街
連忙回頭又撞到「華夏」工專
直到遠方出現「華新書店」的招牌
才回過神來
然而那只是一家文具行
只賣暢銷的「台灣」政治評論
與世界各地的旅遊手冊

於是我的「緬甸街」之旅驟然消失

事實上是「我」不敢走進
街上那幾家有點破舊燈光昏暗
坐著幾位老人家的小吃店
總覺得路邊幾位聊天的青年

已注意到我這個局外人
我分不出招牌上是泰文還是緬文
仍只能用蝌蚪字來形容它們
我甚至懷疑我不是正港「台灣人」
就算走出了「華」新街
都缺乏一份局內人的自在

事實的事實上我只是來嚐嚐緬甸「茱」

我低著頭走路保持低調
來來回回華新「街」兩次
不知爲何沒找到「傳說」中的勃固
於是進了家「南國風情」餐館
吃了辛辛的「印度招牌咖哩雞飯」
順手抓了份今天的「中國時報」
看看「詹徹」領導的農民大遊行
喝了酸酸的「羅望子汁」
心滿意足擦擦嘴
走路搭捷運回家

2002-11-25 00:43:48

註：
台北縣新店的新華街，因有許多來台的緬甸華人移民聚居，
並開設了許多緬甸風味的餐廳、雜貨店，故號稱「緬甸街」。

（曾刊於《創世紀》，第 135 期，2003.06）

[徵信詩社]一罐胡椒的身家調查

對，就是我家廚房的那罐胡椒！
我突然覺得它非常可疑…
完全不知道它以前做過什麼？
它的鄉關何處？
它放過高利貸嗎？殺過人嗎？
是不是走私偷渡進來的？
讓它待在廚房是不是很危險？

對，它持有合法證件：
印尼粗黑胡椒 BLACK PEPPER
保存期限：二年；有效日期：93.10.27
淨重：50gm；成分：印尼黑胡椒
XX 股份有限公司
台灣省南投市南崗工業區 XX 路 X 號
條碼：4-710059-010122

但我怎麼知道它有沒有造假？
請幫我調查一下它為何跑到南投？
從基隆關還是高雄關進口？
真的是印尼籍的嗎？還是泰國混充的？
是大種植園生產的，還是向小農收購？
曾被出口商和銀行家欺負嗎？
有沒有引發過排華暴動？

對，就是我家廚房的那罐胡椒！
把它吃進嘴巴裡會不會很危險？

2003-09-30 19:19:34

印尼女子的信貞

街角的雜貨店中
印尼女子問老闆娘買「信貞」
「線針?」老闆娘比比衣服
一時間台灣國語與印尼國語
滿頭滿腦的問號
而我,是來買礦泉水的
因為這裡比便利商店便宜
於是我幫老闆娘用英文問清楚
原來要買「信紙」
老闆娘連忙跑去拿出來
那種紅線信紙我在當兵時用過
最便宜的那種——信貞?
想必如一線一針刺上字
寄回家
比新衣暖

2003-02-12 23:27:19

揹琴女使

早晨七點半
趕著去上班
妳走在我前面
背上揹著大提琴

巨大的黑色
琴箱吸引了我的目光
迎面一位菲傭
站在大廈的門口
妳轉過頭來
開心地與她打招呼
這才發現
原來妳也是菲律賓人

我感到驚訝
然後注意到一位小女孩
揹著輕巧的皮製書包
上面還有隻凱蒂貓
走在妳前面
原來此刻妳正代替
小女孩的母親
護送她上學練琴
就像街上其他的母親
替孩子攜著書包

可是霎時間
巨大的黑色大提琴
就像壓在小女孩的背上
連我的雙肩
也感受到一股沉重

想必小女孩
也感覺到肩頭上的輕鬆
其實更沉重

Thu Oct 17 22:08:35 2002

我們・你們・他們──哀悼劉俠

我們

我們請他們來照顧親愛的你們
因為我們工作太忙了
我們何嘗不願意多陪陪你們
但在這競爭的都會
全球化的世界
我們除了賺更多的錢
不知道安身立命的辦法
況且他們也需要一份工作
可我們忽略了
他們在這裡也需要照顧
在那裡
他們還捨棄了需要照顧的人們
而他們除了賺更多的錢
沒有安身立命的辦法
就跟我們一樣
請親愛的你們能了解

你們

你們請他們來照顧我們
其實我們需要的不是照顧
我們過去像他們一樣辛苦工作
從這裡到那裡
從那裡到這裡
我們過去像他們一樣照顧你們
從過去到現在
從現在到未來
我們的過去是他們的現在

你們的現在是他們的未來
你們的未來
是我們過去的夢想
仍是我們現在的夢想
扔將是我們未來的夢想
親愛的你們
其實我們需要的不是照顧

他們

他們請我們來照顧你們
我們無法了解他們
而親愛的你們
也似乎不太了解我們
但你們需要我們
就像我們需要他們
因爲在那裡
有需要我們的親愛的人們
就像你們一樣
他們不也離開了你們
因爲他們也不能只在這裡
從這裡到那裡？
從那裡？到這裡
我們無法了解他們的世界
我們只了解
除了賺更多的錢
沒有安身立命的辦法
但親愛的你們
似乎還不太了解
世界

劉俠

妳一定了解
全都全都
了解
我們‧你們‧他們
這個世界

2003-02-13 22:24:35

註：
知名作家劉俠女士，因肢體行動不便，長期聘請外籍看護工
照料，不料該外籍看護工罹患精神官能症，情緒不穩定，劉
俠女士意外遭其打成重傷，導致舊疾復發不幸逝世。

台北就不是南洋

台北不就在南洋？
基本常識：南島語系
東起復活島、西迄馬達加斯加、
南至塔斯馬尼亞、
北到台北！

台北有火山、颱風、紅樹林
有五種椶櫚：
桄榔、檳榔、椰子、麨頭、桃竹
有五種風俗：
艋舺、紅龜、紋身、祀壺、石支墓
基本嚐試：
越南河粉、泰國魚翅
嚐試做個「南洋人」

日字形的總統府朝東
雙十形的市政府朝西
台北帝大的遺址朝南
清代孤臣的墳墓朝北

台北就不是南洋！
基本常識：
誰建立台北——
北洋軍、北白川宮師團，與北伐軍
誰住在台北——
「台北人」與「北洋人」*
來來來！來台大！去去去！去美國！
來去台北！

台北就不是南洋？
基本嚐試：
戴佩妮、孫燕姿、蔡明亮、李永平
菲傭、泰勞、越南新娘、印尼看護工
但，南進政策，失敗！
而且無法加入東協

台北還是在南洋！
只是南洋有點不在台北
又有點在台北
台北人最愛來一點
基本的嚐試
但對於基本常識
台北人總是心不在焉
反正又不用考試

2003-02-15 17:15:45

註：
「台北人」當然是指涉白先勇的小說；「北洋人」一詞則引自
阿盛的小說《七情林鳳營》，意指「台北的洋人」，也就是洋
化的或崇洋的台北人的意思。

目擊

軍事衛星與精準炸彈
能目擊並摧毀
目標物
夜試鏡與紅外線導引器
能目擊並摧毀
敵人
攝影機與照相機
能目擊被摧毀
的軍人、平民與建築

但它們無法目擊
一個青年人每天唱軍歌
操練體能，聆聽教義
放假回家時趕緊幫老母修屋頂
或重新粉刷屋裡一面牆
無法擊毀
這種延綿不斷的生活
永遠感受著
真主眷顧的目光

房子炸了
重建
人死了
再生

2003-04-02 22:23:56

(曾被選入：陳盈卉 主編，《如果遠方有戰爭》，(台北：小知堂，2003)。)

莫須有的伊拉克

藍色的波斯灣底下
還有一個更大更深邃的
黑色波斯灣
曾經輝煌燦爛的兩河流域
而今只是浮在石油上
莫須有的國度
上面燃燒著仇恨
底下不斷湧出黑水
浮不起來也沉不下去
如一艘鬼船

2003-04-13 23:38:56

(曾刊於:《中央日報》,2003.4.20.)

玫瑰是沒有理由的戰爭

玫瑰是沒有理由的
戰爭
鑽探出地層的顏色
噴湧
如易爆的炸彈易燃的血
戰爭
是沒有理由的

2003-04-11 00:33:40

在佛羅里達征服伊拉克

花花公子封面女郎
在美麗海灘上扮笑臉裝傻氣
一波波白花花的海浪打來
退休的老好人與愛乾淨的老太太
嘖嘖稱奇,還拿起了數位相機
其實這只是天天看的海景
石油大亨偏偏愛玩無動力帆船
一放假就飛來擦甲板
古巴流亡老財主拿著疊報紙
看看股市行情分析
年輕的上班族第一次有錢度假
小倆口摟著走著夢想著未來
開著休旅車的老中在高級別墅區
轉來轉去仲介房地產
聽說小布希在這裡打贏了選戰
聽說他弟弟是這裡的州長
聽說是為了維護世界的利益
他下令攻打伊拉克
稅金、退休金、投資基金
一波波白花花的海浪打來
佛羅里達州的海景呀!

2003-04-03 21:56:03

(曾刊於:《台灣詩學學刊》,第 2 期,2003.11.)

你餵我吃了西域葡萄

你爲我買了一串西域葡萄
開心地展示著霧霧花粉
泛出優雅的紫氣
用你粗粗的手爲我搓揉
瑰寶直到濕滑細膩
我的唇舌因感動而焦燥
直到青澀的香氣瀰漫
你剝開一粒西域葡萄
我的嚥唾羞慚地滋生
彷彿澆熄了鶴紅的臉頰
從未有過的平靜、安詳
你餵我吃了西域葡萄

Tue Apr 16 01:13:47 2002

整個夏天我安居在安集延

整個夏天我只以甜瓜爲食
清早起來，母親遞給我一顆瓜
就上市集做買賣去了
我獨自坐在中庭台階上
輕輕敲開我的瓜
種子瓜囊撥到土地上
整個臉像埋到瓜裡去一樣

然後我拿著彈弓騎著馬
跑到郊外打野雞
安集延的野雞特別肥
一隻肥雞四個人都吃不完
但我打獵只是爲了鍛鍊戰技
獵獲全都送給了夥伴
整個夏天我只以甜瓜爲食

中午的時候我會倒騎著汗血馬
讓她帶我到一片瓜田
我無須徵求主人的同意
因爲夏天安集延的甜瓜無窮無盡
坐在田裡我輕輕敲開甜瓜
種子瓜囊撥到土地上
整個臉像埋到瓜裡去一樣

下午的陽光太強太強
我只好躲在蔭涼的白楊樹下
掏出奧瑪珈音的柔巴依
「一簞疏食一壺漿，一卷詩書樹下涼
卿爲阿儂歌瀚海，茫茫瀚海即天堂」
這時陪伴我的仍是一顆甜瓜

黏膩的汁液彷彿永遠會沾在手上

傍晚的時候我策馬回家
一路上總會遇到夥伴將我攔下
如果只獵到兔子我寧願丟在地上
如果我獵到香獐就與夥伴共享
就著夕陽我會下盤雙陸棋
嬉鬧著與夥伴背誦彼此的譜系
回憶某位奇怪的親戚

晚禱前我會回到家向母親請安
我們輕輕敲開我們的瓜
種子瓜囊撥到土地上
整個臉像埋到瓜裡去一樣
我永遠忘不了母親吃瓜的笑顏
整個夏天我就這樣
安居在安集延

但夜裡我陰沉閱讀道里邦國志
思考著征服第五氣候帶的詭計

2003-08-25 17:20:56

註：

安集延(Andijon)：位於中亞錫爾河上游的河谷，即今烏茲別克
共和國浩罕(Kokand)地區，是十六世紀費爾干納(Farghona)的首
府。

奧瑪珈音的柔巴依：柔巴依(Rubaiyat)，波斯四行詩，或譯爲
「魯拜」。「一簞疏食一壺漿，一卷詩書樹下涼，卿爲阿儂歌
瀚海，茫茫瀚海即天堂」引自：黃克孫 衍譯，《魯拜集》(*Rubaiyat
of Omar Khayyam*)，(台北：書林，1987)。

雙陸棋：南宋洪遵的《譜雙》中對「大食雙陸」的說明是：「以

毯為局，織成青地白路，用三骰子。馬分為七，白馬居右，黑馬居左，八門遇雙彩方得過。十五馬至外，六門未散，贏一籌。雙彩，賞一擲。渾花，贏一籌，仍賞擲，又渾花亦然。馬先出，贏小籌。敵馬未出，己馬拈盡，贏大籌。如棋之籌局也。」

道里邦國志：伊本‧胡爾達茲比赫(Ibn Khordadzbeh)成書於公元 844-848 年間的地理書《道里邦國志》(*Katab al-Masalik wa'l-Mamalik*)。參見：[古阿拉伯]伊本‧胡爾達茲比赫(Ibn Khordadzbeh)，宋峴 譯註，《道里邦國志》(*Katab al-Masalik wa'l-Mamalik*)，(北京：中華書局，2001)。

第五氣候帶：中古伊斯蘭地理學者將世界分為七個氣候帶，中亞錫爾河、阿姆河流域位在第五氣候帶。

有這麼幾天我跑到忽氈的杏仁村

忽氈往東五、六伊尕奇就是杏仁村
生產最好的杏仁，銷往霍爾木茲和印度
有這麼幾天我獨自跑到那裡
替我母親採購兩把駱駝的杏仁乾
杏仁村與忽氈之間是片荒原
名叫「哈・德爾維希」
當年托鉢僧德爾維希與追隨者
迷途困死於此地
那裡一年四季吹著大風
而且有龍捲風
我在杏仁村認識一個美麗的男孩
他帶我到「哈・德爾維希」聽濤聲
說他生在霍爾木茲
那是個看得到大陸的美麗海島
巴林的珍珠與賽里斯的絲綢
是霍爾木茲的白浪與沙粒
他帶我到「哈・德爾維希」聽濤聲
要我閉上眼睛想像一片藍天似的大海
他在我臉龐灑上鹹鹹的水珠
脫下我的靴子把腳埋進細細的沙裡
啊！我此生從未看過大海！
終其一生未見過大海！
但有幾天我跑到忽氈的杏仁村
認識一個美麗的男孩
我不務正業天天陪他幻想大海
他回憶著他的故鄉
我躺在沙丘上當個聽濤客

2003-08-24 22:40:11

註：

忽氈城(Khojend)位於安集延以西二十五伊尕奇，撒馬爾罕以東二十五伊尕奇的地方。(一「伊尕奇」等於六公里，一「沙里」約等於二公里。) 城北濱臨細渾河，即注入鹹海的錫爾河(Sir daria)。忽氈以東五、六伊尕奇之處有一小鎮名爲杏仁村(Kand-i-badām)，生產品質極佳的杏仁。駱駝五隻爲「一把」，十隻爲「一串」，此爲華北土話。

華黍華變七事

一、佩刀

佩刀是屬於男人的珠寶
如果沒有刎頸下場
就會變成代代相傳的禮器
不用再殺伐下去

二、刀子

刀子是用來宰羊吃羊的餐具
餐具沒有更高的象徵意義
可是夜裡光膀子躺在褥子上
不少男人死在這種刀下

三、蠣石

蠣石是磨刀石
有時裡面真的有牡蠣化石
磨刀的意象頗為不堪
但歷史總在殺人和宰羊

四、契苾真

契苾真是什麼？
連專家學者都不能確定
我母親卻說：「就是中國茶！」
神秘的‧契‧苾‧真‧

五、噦厥

噦厥是解繩結的工具：馬桿子的結、綁羊的結、
帳棚的結、趕大車搬家當的結、搭架子鑽井的結、
綑敵人的結、抽女人的結、束縛屍體的結⋯
總有結打錯了，解不開就急了

六、針筒

男人也需要縫衣服的針
好給他的女人用
我見過一個針筒裡大馬哈魚的骨針
藏著一線阿穆爾河的回憶

七、火石

兩顆火石猛力撞擊一堆火就燒起來
如果打火技巧不好或運氣太差
就是場濕寒又冗長的
猛力撞擊

2003-08-25 21:22:06

註：
「鞢（ㄅㄧㄝ）韘（ㄒㄧㄝ）七事」，是北亞遊牧民族的男子
腰帶上垂掛的七樣必備物品，影響所及，唐代中國與高麗都
將其納入輿服制度。「鞢韘帶」則是附有七、八個吊帶的
寬腰帶，亦有較窄細的女用「鞢韘帶」。

弓形之腹・深藏的臍

巨型廣告展示著平坦的小腹
都會女性苗條
不孕似的貧瘠腰身
我卻突然想起了印度
不是飢饉的女童
而是古代燦爛的仕女圖
弓形之腹・深藏的臍
如對佛陀之母摩耶夫人的描述
多麼豐腴美滿!

其實都會女性大多掩藏著
肥肥的小腹
現代燦爛的仕女們
妳們怎麼看廣告上的模特兒?
她們的紅唇如韃靼人的弓
小腹平坦光滑
肚臍裸露卻不起眼地萎縮
激起了男人的性慾
卻暗喻著不孕!

弓形之腹・深藏的臍
每當我看見孕婦
就默默致上由衷敬意
她們對誕生仍充滿信仰
燦爛的現代仕女們
被都會養得肥肥的小腹
是否剝奪了飢饉女童的食物?

不！不！這一切都是男人造成的！
這一切都是男人造成的！

2003-01-02 00:53:42

落漈

落漈如隔層紗的
殘酷祭典，水霧激天
賽倫海妖靜坐在懸浮之崎
八方奔騰的浪
巨吼著跌落無底的壇
水族卻得以飛昇

落漈之外如隔山島
檣桅上的水手目光朦朧
聽不見浪聲
也分不清祭典中扭捏的儀隊
人魚嗎？或海狗嗷嗷
只聽海妖不動如唇的歌

梯航上天空披垂
擱淺之物皆懸浮的幻境
反而是海浪在掙扎
不願泄入百川之下的尾閭
一波一波逆阻乘筏人
莫忘瑯琊故鄉

然而水手只憑魯之勇氣
將對峙的山島紛紛拔拋腦後
艇急駛、楫櫂並舉
不顧腦海中逆風漩渦礁石的阻止
衝破如紗水霧——沉入落漈
才驚覺這是神話！

只有無聊重複的海、
無聊重複的海、偶爾一隻燕鷗
偶爾一隻燕鷗、漂來水藻、
漂來水藻、撿到椰子、撿到椰子
原來這條航路通往：
幸福的新大陸…

2003-07-17 15:29:02

註：
《元史》記載：「澎湖諸島與琉球相對，亦素不通。…西南
北岸皆水，至澎湖漸低。近求則謂之落漈。漈者，水趨下而
不回也。凡西岸漁舟，到澎湖已下，遇颶風發作，漂流落漈，
回者百一」。

卷二、

行在台北・夢華錄

斑點海棠

鱷綠絨葉上點點
白斑鏗鏘
粉紅細莖交錯撐起
生猛又耄耋的
變種海棠
別懷疑，請別懷疑
她的滄桑
縱然這只是
一種人造的僞裝

白斑綠蝶似的鋸齒
葉緣呀不是翅膀
飛不出花瓶的
玩賞呀錯錯錯不可倒果
爲因只爲生化技術
太傷神
太息無端
如果秋天海棠正盛
誰又記得
白斑綠蝶命盡
隨風落
不可怪買花主人日日
將水勤澆渥
太傷神
變種海棠
花中錯

只是如果妳養著她
每日澆水
每夜按時回家

這將是個小小的心願
如一小點含苞
縱然是變種的海棠
縱然這世界不正常

Sun Jul 2 23:23:33 2000

(曾刊於《現在詩 2》，2003.06)

快樂頌

我想你們不必了解吧
我的快樂
留給我自己就好了
這首詩
我並不打算讓任何人看懂
說得夠清楚了吧
好！快樂頌開始：

如果這就是
快樂
這就是快了
快快了
如果檜蓼
像夫妻一樣
兩種靜靜的植物
不懷好意地
生長
我劍烙得不得了得不得
懷疑自己
到底是不是迷上了被虐待
然後卯足精神
抹銷自己
再吃速食獪鱸大餐
的確是食髓知味的食譜
真是糟糕
快樂得哭了
如春草般枯了
默默漠漠沒沒寞寞歿歿
然然冉冉燃燃
膾肋

不過是
瘦骨嶙峋的
空洞洞的
狀聲詞
澮垃
不過是
死水中漂浮的島洲
漂呀漂呀漂
筷勒
原來也是密室殺人的兇器
鬢捋
是別人爲妳整理頭髮　天呀！
妳可知呀妳可知
妳的頭髮　天呀！
就是我的力量！
我嚕叻嚕叻嚕嚕叻叻
喃喃不絕絕不喃喃
直到快樂的聲音
碰到妳反射回來
不能再讓我再痛苦爲止
再痛再苦再爲再止
我再說：
我！
好！
快！
樂！

Wed Jun 2 21:30:07 1999

（曾刊於《現在詩 2》，2003.06）

妳的乳房發出微微的噪音

夜晚就這樣來臨
滿足了晚上的食慾後
我走向超級市場
看到路旁打烊花店
用鐵絲網囚禁著
無所謂的鮮花

超級市場居然如此虛無
三三兩兩的人進進出出
手推車緩滑滋滋
偶爾有手機嗶聲
就在這種情調下
陌生人妳
乳房發出微微的噪音

我意識到時已經錯身而過
猛回頭發現虛無中充滿
各種乳房搖擺警世鐘
虛無胸膛與無所謂乳房
發出巨響
其實並不荒唐

可我只有買完東西走出去
並不想尋覓陌生人妳
或許無意間神秘的噪音
已改變我與世界的關係
使我胸膛發出微微的
共鳴

Mon Oct 23 23:27:55 2000

夜深精品店女使獨立強光下

大片大片的玻璃櫥窗
閃亮的強光
夜深女使微笑獨立
我走過精品店前投去一瞥
看到最昂貴的寂寥
也反射出自己匆匆身影
想必同一時刻
甜美的女使正驕傲著
如果年輕的時光必遭消費
那麼即使夜深
也要有尊嚴地白日夢
讓微笑帶來價值感
絕不讓精品店外
如寺人般庸庸碌碌走過的我
察覺到詩寂寥的本質
如傭傭的青春一樣低賤

Tue Jan 29 14:37:53 2002

吸煙少女

美麗的工廠冒出白煙
彷彿可以透視到
煙火閃亮的通風管線
在體內結飾出
處女地之工業化進程
她進口替代加工轉出口的
都是虛無
縹緲的青春

Fri Feb 15 23:58:37 2002

寢室中不斷播放的歌

寢室中不斷播放著
庸俗的歌
CD 盒中的女歌手
令我想起一位認識的女孩
這只更令我起反感
然而室友不斷播放著
她唱的情歌
他喜歡這一型的
我沒有意見
我反感的是我的反感
漸漸變質

當我重複聽著她
漸漸會幻想著女歌手
就是我所認識的庸俗女孩
她本來不庸俗
像是我心儀的女歌手
CD 盒中的女歌手
本來也不庸俗
但身為室友的我
把這些歌聽成庸俗之後
又漸漸著迷
也就幻想我認識的她
其實是庸俗的
然後庸俗也就變得無比美好

最後意識到
我與室友其實是同一型的
我心裡不斷播放著
一片 CD

盒子上是我認識的她
但明白這道理之後
我產生新的反感

2002-03-11 00:07:34

巷子裡的貓肥了

走在市中心的巷子裡
我注意到貓肥了
白腹黑虎斑的窩著腰趴在
很久都租不掉的店面
饒有興味地看著滿地垃圾
在忽明忽暗的陽光下
閃爍出繽紛色彩

全身淺黃的傢伙仰著頭
緊緊盯著著攤販車
嘎啦嘎啦地朝大街上前進
黑嘴巴的母貓舔著小貓
小貓豎著蓬蓬鬆鬆的短尾巴
推著攤販車的少女笑了
抹了抹額角繼續沉沉地前進

我摸摸口袋的銅板跟了上去
中午想吃碗蛤仔麵線
走著走著我突然厭惡起貓來
牠們大搖大擺住在市中心？
露出諷刺的貓眼神
當空屋與攤販增加時
向我炫耀貓的景氣

可我知道貓不由自主
貓也不知道經濟部長昨天下臺了
牠們只是被動地適應都市生態
揀拾我們吃剩下的垃圾
牠們也活在危險與焦慮中
能肥起來時就肥起來

隨便我們怎麼看怎麼想

Thu Mar 21 17:16:18 2002

IR. 餐廳

最難熬的就是晚飯時間
無言相對
失落同爨共食的意義
於是坐在電視機前
收看國際新聞
高談闊論

巴勒斯坦自殺攻擊以色列
以色列重兵包圍巴勒斯坦
委內瑞拉政變推翻了強人
委內瑞拉強人又復辟成功
中共國家主席拜訪格達費
格達費在鏡頭前沒發言權
東協在海南島開博鰲會議
美軍助菲律賓剿滅反抗軍
半島電視播放賓拉登畫面
古吉拉特省爆發宗教衝突
摩爾多瓦與喬治亞有騷動
馬達加斯加出現兩個總統

最難熬的就是晚飯時間
人類無法和平相處
國際新聞的關係總是如此恐怖
失落了同爨共食的意義
晚餐桌上的國際關係
成為一家人維持和平相處
唯一的話題

2002-04-19 23:34:34

討債公司

再沒有比討債更快的方法
去深入認識一個人
你必須追蹤他的位置
調查他的資產
摸清他的人際關係
你必須找到願意替他還錢的人
也就是真正關心他的人
而這個人往往出乎你的預料
隱藏在塵封結蛛網的角落
這個人其實是你自己的化身

再沒有比討債更快的方法
去認識更多的人
公司一天給你 400 個名字
附上戶籍資料與畢業紀念冊
你從打電話開始
聽到焦慮,告解般的聲音
你怒吼威脅、諄諄教誨、百般安慰
但更多時候回蕩你耳邊
是嘟嘟嘟不接聽的機械聲
你了解大多數的人根本不溝通
其實是逃避彼此的虧欠

再沒有比討債更快的方法
去認識你自己
追討別人的債務使自己敏感
意識到自己對別人的虧欠
用自己恐懼的事去威脅別人
用自己感動的話去勸誘別人
你當場逮到逃債的人

也就是當場逮到自己
自己與自己叫罵、拉扯、搏鬥
理解人的本質會模糊人與人的界線
因為再沒有比討債更快的方法
去還清自己的債
一想到加入公司時簽的本票
午夜裡你也會驚醒

2002-04-27 22:46:32

(曾刊於《幼獅文藝》，第 587 期，2002.11)

換季

不藏了
閃亮的隱憂
如果洗衣機想轉
雪白情意引起很大的野蠻
再見
噤聲的衣海
美麗流行的遺族

2002-06-29 18:03:34

愛的迴文

[愛。]

疼

[不愛！]

痛不
不癢

[愛？ 不愛？]

瘦心病
消有失
心瘋心

[愛後不愛；]

似的隱疾
癬愛痙會
疥戀癡內
為成後疚

[愛後不能愛……]

了其癱瘓除
疼任情無非
不好痴法麻
就只療治痺
癢不痛不到

Sat Aug 3 16:57:20 2002

一個人吃悶冰

炎炎夏夜逛東區
走進一家名叫詩人玉屑的冰店
點了盤未若柳絮因風起
成為當晚最後的顧客
一個人吃悶冰
直到喉頭發涼想咳嗽
方知南朝之雪不可獨食
咳唾珠玉不可阻止
吾吃冰遲遲
徒惹女使側目

(其實，我只是吃了粒粒爽撈而已。)

2002-08-05 23:27:18

註：
「粒粒爽撈」是粵語，為 2002 年間在台北流行的一種香港水
果冰。

夜市

阿扁當過市長後
饒河街夜市裡再找不到電玩店了
難以回味的高中頹廢生活啊！

＊　　＊　　＊　　＊　　＊

頭家娘端來熱騰騰的鮮魚湯
仔細端詳她汗涔涔的臉龐
竟酷似教我讀桃花源記的高中老師

＊　　＊　　＊　　＊　　＊

素顏少女眼眉間的英銳之氣
一口漂亮的台灣國語
在夜市中俏皮地踩水坑玩著呢!

＊　　＊　　＊　　＊　　＊

討好自己的母親有何困難呢？
一起去夜市買一袋麻油茴香餅
捧在手中仔細嗅著她的童年

2002/10/11(Fri) 23:01:37

走在人群間，突然有股壞念頭

走在人群一張張臉孔相迎
我突然將人的長相分類整理
把妳也貶抑成某種可取代的範疇了呀！

Thu Oct 17 22:13:54 2002

如果妳照顧著我

托著頭看著妳校對著我
餖飣考證我的心情
想出各種花樣編輯不同的引得

2002-10-24 22:25:29

五馬圖

五匹玩具木馬在公園角落
它們哪裡也去不了
除非有兩個小女孩揚手驅策
一齊奔入真實的世界

Tue, 5 Nov 2002 22:46:26

(曾刊於《中央日報》，2003.02.02)

狗

狗其實在默默忍受
人的殖民統治
只要人自相殘殺或陷入飢荒瘟疫
狗便會將人栓回
食物鏈

2002-11-17 23:41:28

麥當勞幾乎讓我信心盡失

月底整理發票時
才發現自己竟然常去麥當勞
我都在麥當勞做了什麼？
吃薯條的時候⋯
總是想起一部愛爾蘭的電影
拖油瓶的小男孩餓極了
用眼神向有點智障的叔叔乞討
吃剩的薯條
最後用力舔淨包薯條的報紙
整個舌頭都黑了
報紙⋯我有在麥當勞看過報嗎？
沒有，但看過電視新聞
但那只是無意識的行為
吃垃圾食物，收看垃圾新聞
我都在麥當勞做什麼？
看書⋯的確有不錯的燈光
夏天冷氣也很強
好吧，我承認我在麥當勞讀過
後殖民理論的書
認真地讀
我覺得我很賤⋯
但我還是可以找到一些辦法
例如點魚堡加柳橙汁
這是吃麥當勞最健康的辦法
大概吧？我安慰自己
我能用與眾不同的方式吃麥當勞
而且，我對麥當勞的工讀生
總是加倍地客氣
可是我隱瞞了常去麥當勞的事實
自認為可以輕鬆抗拒麥當勞

事實上我抗拒不了
我不願去泡 35 元的廉價咖啡館
因爲麥當勞有大杯柳橙汁
我討厭油膩斑駁的裝潢
照明不足的燈光
與服務生想打烊趕人的眼神
況且，去聽聽小朋友的遊戲尖叫聲
也是件令我開心的事
夠了，我都在麥當勞做了什麼?
天啊！我居然在麥當勞寫過詩…
(很多首，別逼我說出來！)
嗯，至少這首不是…嗯，最初的靈感來源是…
當然…無可避免…
例如，麥當勞使用基因改造農產品啦
剝削農業國的勞動力啦
壓低臨時雇員的鐘點費啦
提供不健康的高膽固醇食物啦
美國文化霸權的滲透啦
飲食習慣與行爲模式的改變啦
我真的不想再麥當勞了！
(咳，這是不可能的)
所以，麥當勞幾乎讓我信心盡失
(這句話隱含著我本來具有某種「信心」)
(然後這種「信心」漸漸瓦解)
(但我原本具有的「信心」是什麼?)
(是：我是中國人，麥當勞是美國食物?)
(或是：跨國大資本是不正義的，例如麥當勞?)
(還是：我要維持身體健康，吃麥當勞不健康?)
(難道是：我是進步的知識青年，我不該吃麥當勞?)
(也許是：麥當勞破壞了原有的社會機制，
我應該維持那些機制，例如家庭式小餐廳?)
(其實是：我害怕?)

怕什麼？不知道…(怕麥當勞告我毀謗嗎？)
所以，「麥當勞幾乎讓我信心盡失」
是一句我自己也搞不清楚狀況的話…
(有時上麥當勞有自甘墮落的頹廢快感！)
(這首詩或許是一則好廣告！)

2003-01-05 23:37:31

仙跡岩下兩山友

仙跡岩下兩山友
一胖一瘦

胖的滿臉鐵灰長鬚
滿臉老辣的皺紋
兩眼銳利鷹揚
光著膀子腆著肚
手撐著膝蓋在行人椅上打坐
陽光下黑黝黝的老皮膚

瘦的那位不知走到何處
下山後總是閃閃躲躲
只知道他與胖的是一夥的

仙跡岩下兩山友
相貌可疑
年輕的時候絕非善類
現在看起來仍像大盜二人
竊取無窮無盡的光陰

打劫路人
一瞬間的沉思

2003-01-30 16:07:52

鹿的渴望

其實，鹿都渴望被咬
被跑得最快、最凶狠的虎撲倒
其實，鹿都渴望被咬
而不是病厭厭地老死雪地
就算凍死深雪，也希望被熊牙開春
其實，鹿都渴望被咬
一出生就被狼叼走也很驚喜
哪怕是豺狗鑽進肚腸
其實，我要妳相信
這就是鹿的渴望！

2003-04-21 22:12:13

我的忍者生涯
——悼念 2003 年夏季的 SARS 疫情

早起戴上面罩出門
大家一齊使用土遁術去上班
在地底前進的時候
有的忍者閉目使用養神術
其餘的用窺心術
互看彼此露出的眼睛
一聽到咳嗽的聲音
就立刻施展閃人術消失

我的忍者生涯就這麼開始了
進出辦公大樓
要接受額溫術的考驗
一進入室內
立刻使用洗手術
摘下面罩大家都心照不宣
默默忍著

走在街頭看到這麼多忍者
全都帶上面罩表明身分
我就全身一陣感動
帥呀！連賣面罩的攤販也是忍者！
買賣雙方正在全力施展
哄抬術與殺價術呢！
真沒想到面罩下的歐巴桑
眼神竟然如此銳利
只剩幾莖白髮的老阿伯
也顯得忍術高深莫測

很多忍者也都像我一樣
忍不住在口罩下焦慮地偷笑吧！
不過我們沒有忘記
醫院的上忍們正在奮力作戰
更多的忍者正默默
用隔離術保護著大家
我這個只保護自己的下忍
算不了什麼

就算是以前不戴面罩的時候
人們也都爲了彼此的幸福
默默施展各種忍術
只是手法高明
常常讓彼此毫不察覺罷了
我相信有一天我會懷念
大家戴面罩展露忍者身分的日子
我的忍者生涯就這麼開始了
見證了崇高的不忍人之心

2003-05-15 22:44:19

今夜上校沒有打電話來

上校每隔幾天會打電話來
確認我是否還活著
這是某種軍事情報任務
幕後主使者我尚無法確認
可我並不怪上校
其實上校與我建立某種感情
此外，我也藉機確認上校是否活著
唉，我也有我的「任務」呀！

因為上校每隔幾天會打電話來
確認我是否還活著
所以上校每隔幾天會打電話來
確認我是否還活著

從事情報工作的缺點是…
無法發表研究成果，也無法累積年資
更無所謂的升遷或調薪
也沒有頭銜和職稱
就像一位素人藝術家
然而上校有頭銜也有職稱
不斷報告工作成果並累積年資
常常出國考察和開會
定期升遷調薪

上校不但每隔幾天會打電話來
確認我是否還活著
而且上校還會每隔幾天打電話來
確認我是否還活著

然而電話終究如此容易竊聽

所以我們總說些不易被竊聽的話題
例如說後現代前衛藝術——
(辛蒂・雪門 1985 年的)「無題 155 號」
這是我們羞辱監聽員的姿勢
或是以威瑟的「農家」，批判上司的幸福家庭
我們生活在范圖里的「法蘭克林庭院」
沒有隱私可言
處處是理查生和阿伯特事務所的
「古典的假象」

一方面，上校每隔幾天會打電話來
確認我是否還活著
另一方面，上校每隔幾天會打電話來
確認我是否還活著

不過沒有暗語無法被破解
只是一想到監聽員翻閱藝術書籍的窘態
就算洩漏些機密也頗為值得
關於背叛者,請參考雷斯・克林姆斯
「一位耙子的修正者復原」
對，上校與我可以這麼無聊地繼續下去
反正是納稅人繳電話費
而且還支付我們薪水
沒辦法，文明是靠一些瑣事維持的！

然而上校每隔幾天會打電話來
確認我是否還活著
就像上校每隔幾天會打電話來
確認我是否還活著

今夜上校沒有打電話來…怎麼了！？
以一種素人藝術家的直覺

我認為我已經死了
但這是完全一廂情願的推理
第二種可能是上校死了
因為我的任務未完成前上校也不會停止
可惜的是上校明天、後天、大後天…
上校永遠都不會打電話來了
畢竟今夜上校無法確認我是否還活著
已造成一段無可彌補的空白
以後再確認就毫無意義了

與其說上校每隔幾天會打電話來
確認我是否還活著
毋寧說上校每隔幾天會打電話來
確認我是否還活著

今夜上校沒有打電話來
我自由了！！
今夜上校沒有打電話來
上校也自由了！！
突然記起上校的最後一通電話：
智慧的貓頭鷹
總在將死的肉身上盤旋
而攔截鮭魚的棕熊
對死屍不屑一顧
窗外突然射進一道曙光
漫漫長夜，結束了

2003-06-29 13:29:05

註：
詩中的現代藝術作品，請參見：陸蓉之，《後現代的藝術現
象》，(台北：藝術家出版社，1990)。

蟬頌

我家附近的蟬聲
幾近絕跡
只有冷氣機不斷複誦出
裡面的焦躁
使外面陷入幻聽似的狂熱
這時候
蟬，只有一隻
驀然對我唸起心經
為我家送來
涼意

2003-07-20 23:48:25

(曾刊於《中央日報》，2003.08.24)

三重鍍金廠

等待鍍金的粗模
一籃籃亂糟糟堆了一地
小小的電解槽
藏在裡面小小的房間
我的食指忍不住
想浸泡下去體驗那種感覺——
銅、鐵、錫的原型
鉅變為金色的美麗故事

我是否也能擁有
神話中米達斯王的金手指
將平凡的生命歷程
變成金色首飾隨身佩帶
或只能等待歲月
將鍍金似的青春年華
斑駁成老舊的三重鍍金廠
藏著小小的——回憶

2003-09-28 12:04:02

(曾刊於《幼獅文藝》，第 600 期，2003.12)

[徵信詩社]在台北，跟蹤一包垃圾

這位太太，關於您委託的案子：
「一包垃圾出門後都到哪裡鬼混了？」
現在調查結果已經出來了
首先要聲明本社絕不探查垃圾內容
並以匿名方式保障您的隱私
基本上，無論您比較相信公權力機制
每天親自送它上垃圾車
或是認為任憑大樓管理員
仲介它跟著某拾荒者到處遊蕩
總之，根據您住宅的區位
它最後只會去一個地方：木柵垃圾焚化廠
以下是這個地方的資料，請過目：

[木柵垃圾焚化廠 91 年 1～12 月焚化操作營運統計表]
垃圾進廠量(公噸)：261,272.97
焚化處理量(公噸)：231,353.44
灰燼量(公噸)：33,460.29
環保局焚化績效(%)：平均 126.0
環保署焚化績效(%)：平均 62.8
發電量(度)：62,907,900
售電量(度)：35,771,090
售電率(%)：平均 56.9
售電所得(元)：48,677,132

如您所見，它只是眾多垃圾中的一包
它身上有賸餘價值的部分
全都在處理過程中被回收利用
最後與眾多垃圾一起被焚燒
還散發出熱能轉動發電機
所以，您的垃圾縱然又髒又臭

但的確是一包有用的垃圾
至於焚化後的灰燼如何處理
由於它已經不再是「一包垃圾」
故不在委託調查的範圍內
若您對現代國家體制下的廢棄物尚有疑問
請提出新的委託,本社將竭誠服務!

2003-09-30 23:34:32

(曾刊於《壹詩歌》,第二期,2004.01)

《佛說老女人經》

有一母人貧老傴僂。長跪問佛。五陰六衰會合我身悉為是誰。
來何所從去何所歸。…佛告阿難。是老女人者。是我前世發
意學道時母也…往昔拘留秦佛時我欲作沙門。是母慈愛不肯
聽我去。我憂愁不食一日。因是故五百世。來生世間輒貧窮。
今壽盡當生阿彌陀佛國供養諸佛。卻後六十八億劫。

那些老女人的照片
令人聯想到城市廢墟專輯
半拆的日據時代店面
或廢棄的廠房、倒塌的違建
總之時間無情地對待房屋
更別說是女人了
有些皺紋是極不單純的
或是無辜的酒窩
捲入了拉皮的痕跡
如星座般位移的痣與雀斑
還有戒不掉的壞習慣
黃板牙、青舌苔、焦枯的髮…
而城市總會找到新寵
我則找到老女人拍攝心象
是一種古都的象徵
一種新亭對泣
前世今生的
依戀

譬如畫師先治壁板素。便和調諸彩自在所作。是畫不從壁板
素出。亦不從人手出。隨意所作各各悉成。生死亦如是。各
自隨所作行...

2003-08-16 16:56:38

卷三、

古今懸隔・風情異

[元]王蒙(1308-1385),「具區林屋圖」
紙本立軸,68.7 x 42.5 cm
現藏於台北故宮博物院

具區林屋圖

再也回不去那丘壑間了
如山東士族錯置的謙卑與孤傲
你今生夢死的樂園
就算複製激情林園的假山假石
一章章頹唐的夢華錄
也只不過空承簷下廢水
之太湖石,扭曲復空洞
敏感如你看出此景藏一「宕」字
但說不準是跌宕或延宕?

那具區林屋的壯志
永遠消失了
想想徽宗貪腐卻至美的花石綱
將一石一石植於汴梁,然後是女
真的毀滅
謙卑又孤傲的士族逃奔太湖
再也回不去了
汴梁的太湖石卻再回不來

須知丘壑本身悲情還不夠
又加上林園劇場的瘋傻
更淪為裹尸似的絹本山水
你聊以自慰的古玩
簷下的象徵之意又如何?
嗚呼!你要知道那女
真的毀滅
已涅盤了困囚北方的花石
一直超渡到文化的子宮!

Wed Jul 30 15:29:23 2003

[南宋]李唐(ca. 1050-1130)，「萬壑松風圖」
雙拼絹本立軸，188.7 x 139.8 cm
現藏於台北故宮博物院

萬壑松風圖

風息了
一件布衣難遮身
億萬根松針
居然完全不碰觸彼此
絕對無聲

風起時並不覺得冷
只聞洶湧松濤聲
彷彿億萬根針扎在身上
視而不見
熱血噴

看到了嗎？
我就藏在畫面中
僵臥在萬壑松風間
遮擋著
唯一的敗筆

看到了！
巨大的超時空立軸上
溪壑松枝
縱然纏綿在一起
未動、莫須動

2003-08-21 06:37:58

（曾刊於《中央日報》，2003.10.12）

[南宋]馬麟,「靜聽松風圖」[ca. 1246]
絹本立軸,226.6 x 110.3 cm
現藏於台北故宮博物院

靜聽松風圖

松下人一身狂士打扮
然而誰知道他不是當朝權臣
正陰謀貶謫何人
那詭譎善變的松濤聲

倘若他真是抵掌而談的讀書人
是否聽得懂那兩株畸樹
盤根錯節的地下競爭與葛藤
緣枝糾纏隨風是飛

衣襟是敞開的，順著松濤
吹皺一方水域，梳整一派丘壑
他的拂塵落地，鬢鬍飄逸
紗巾下眼迷離，隻手切問松的脈息

或只是長途跋涉偶坐樹下
轉瞬間入定調勻喘息的肺腑
根本沒注意有陣風起
暗藏松果嗶啵了松翅沾身

一切關於他的臆度已古今懸隔
徒留餖飣閒詁的樂趣
但他忠實的童子應是無辜的懷著
平凡人不懂松風的原罪

2003-08-29 01:04:16

[元]吳鎮(1280-1354),「雙松圖」[1328]
絹本立軸,180 x 111.4 cm
現藏於台北故宮博物院

吳鎮雙松圖

樹不願被人了解
樹靜靜生長
樹不太有感覺
樹毫不保留地向外伸展
樹碰到外物
樹就發揮生命力
樹就扭曲纏繞
樹就輕輕抵著緩緩伸展
樹喜歡狂風驟雨
樹喜歡迷霧
樹也喜歡清清靜靜
樹毫不保留地向外伸展
樹分不清天空或縫隙
樹分不清是緩坡或懸崖峭壁
樹分不清溪流奔騰或一轍水跡
樹碰到外物
樹就發揮生命力
樹就扎透
樹就牢牢固結
樹就輕輕抵著緩緩伸展
樹分不清另一棵樹
樹不太有感覺
樹猶如此

2003-08-31 21:33:21

[清]弘仁[漸江](1610-1664)，「松石圖」

弘仁松石圖

縱然賞心悅目
這類松與石的關係並不正常
畫面上還烙著血色印章
如情緒的抽象畫
都會生活偽造的盆景
松與石糾纏飛舞
只為討好文人雅士的幻想
然而什麼是自然？
石頭雖然僵硬
一觸碰外物也會變形
非生物自有一套互動方式
會積澱與消蝕
更何況是自由自在的松
又有誰能說是強迫
藝術最多不過是模仿著
松的意志、石的天真
若論崇尙自然
就是在鑑賞的時候
懷著虔敬之心

2003-08-31 21:26:16

[清]沈銓(1682-ca. 1760)，「松梅雙鶴圖」
絹本立軸，*191cm × 98.3 cm*
現藏於北京故宮博物院

沈銓松鶴圖

美好的畫面中
清代的鶴自有時尚打扮
羽翼的紋路、毛色的深淺
長頸的弧度或美腿歇立的姿態
這些都是很講究的

至於點綴四週的松、石、梅、蕨
或涓涓的流水、淺淺青苔
該濃該淡偶爾幾筆狂放
畫法可不能拘謹乏味
當然更不能搶了鶴的風采

固然有鶴成雙
還是要與松枝、梅瓣保持曖昧
畫家與觀眾都要變化為
圖上的景觀
體會瀟灑的鶴
黑白肩頸扭動的太極、
頂上的紅

2003-09-01 23:45:44

Antoni Brodowski (1784-1832)
HEAD OF ANTIGONE [1828]
Oil on canvas, 47 x 42
Lost between 1939-1945.
Negative MNW no. 1677; photo before September 1939.

Antigone

悲傷穿在她身上
合身極了
如果悲傷也有款式
恐怕她
最了解時尚

不合時宜的父兄們
總在最糟的時刻
棄她而去
正因她總是固執如戀人
不離不棄

2003-09-08 00:41:44

(曾刊於《中央日報》，2003.11.09)

註：
Antigone 是希臘神話中伊底帕斯王的女兒，弒父娶母的罪行讓
伊底帕斯瘋狂，他挖去自己的雙目，無目的的放逐自己，只
有他的女兒 Antigone 始終追隨照顧他(是的，就是他與自己母
親姦生的女兒)。伊底帕斯終於在悲慘中死去，Antigone 葬父
之後回到故鄉底比斯城，她的兩個兄長本來每年輪流做國
王，後來哥哥 Eteocles 趕走了弟弟 Polyneices，弟弟出奔阿哥
斯，號召了七武士攻打底比斯城，兄弟二人決鬥互弒而死。
底比斯守軍在宙斯神的幫助下也擊潰了阿哥斯的軍隊。這兩
兄弟的舅父克雷溫繼承了底比斯王位。下令不准為敵軍收
屍，違者斬。Antigone 不顧禁令，毅然出城為其兄 Polyneices
收屍安葬。狠心的克雷溫竟下令將 Antigone 處死，而她也從
容就義，離開了哀傷的人世。

Frederic Leighton (British, 1830-1896), RETURN OF
PERSEPHONE [ca 1891]
Oil on canvas, 160 x 120 cm

Persephone

下了第一場秋雨
妳走了
回到深幽玄邃的地獄
我了解

在希臘神話的世界
死後樂園也在地底下
有壯麗的宮殿、
難忘的珠寶、珍奇的圖籍

還有各種不知名的種子
妳真的喜愛品嚐
一整座森林於未萌發
或是探望幽闇監牢

意外發現許多英雄人物、
衝動的情人、風趣的預言家
縱然受著苦刑，仍不忘
鑿壁竊光，窺伺失去機會的樂園

有時候妳甚至會感謝
黑帝的誘騙強娶
賦予妳無窮盡的同情
安撫那些失身慘死的才女

下了第一場秋雨
妳走了
在日漸寒冷枯萎的世界
我等妳

2003-09-11 02:19:19

註：

Persephone 是農業女神 Demeter 的女兒，被冥王黑帝(Hades)誘拐到地府強娶爲妻。Demeter 四處尋找女兒，因過於悲痛，導致大地草木枯死，人畜無食，連年饑饉，諸神也沒人貢獻祭品，於是天神宙斯勸其弟黑帝將 Persephone 送還人間。然而，她曾吃過地府的石榴，於是每年有六個月會不由自主地回到地府，在這段期間成爲冥后，而 Demeter 因思念女兒，遂導致人間陷入寒冬。

BIRTH OF APHRODITE [ca. 470-460 BC]
Ludovisi Throne:back C. panel, the Birth of Aphrodite.
Rome, Museo Archeoligico Nazionale

Aphrodite

我在螢幕上盯著她
卻寫不出半句詩
半小時就這樣過去了
我只好分散注意力
看著亞麻布——
漿洗得澀澀的
卻又輕柔吸汗的亞麻布呀！
多皺折的如捲髮披垂
如曬了太陽的可愛膚色
如耐風漬的大理石般堅韌
如貞女的亞麻布呀！
美麗的亞麻布呀！
我死後也要以她裹屍！

2003-09-13 00:06:33

John William Waterhouse (1849-1917)
PENELOPE AND THE SUITORS [1912]
Oil on canvas, 131x191 cm
Aberdeen Art Gallery and Museum

Penelope

你離去之後
我不知道該怎麼辦
人們都說你不會再回來
我只好默默紡織——
你的裹屍布必須異於常人！

白晝織出了一個意象
黑夜又被我拆散
同樣的線索織就不同的回憶
以裹屍之名
一次比一次壯麗
白晝織出了一個隱喻
黑夜又被我拆散
假裝我越來越擅長遺忘你
假裝我耽於離棄

我欺騙他們
那天罡地煞應命之數的
一百零八位追求者——
我即將下嫁
裹屍布快織好了！
其實這就是
你必將歸來的象徵

註：
Penelope 是綺色佳(Ithaca)國王奧狄修斯的妻子，其夫婿遠征特
洛伊十年，回航途中又迷航十年，於是眾人皆認爲奧迪修斯
已死。Penelope 因才德美貌，吸引許多盼她改嫁的追求者，前
後計一百零八人，但她總以還在縫製夫婿的壽衣爲理由而拒
絕。她白天縫製，晚上偷偷拆線，矢志等待丈夫歸來。

Titian (ca. 1487-1576)
BACCHUS AND ARIADNE [1521-3]
Oil on canvas, 172.2 x 188.3 cm
London, The National Gallery

Ariadne

違背父王旨意
妳用一團可愛的毛線思維
幫助他走出迷宮
他帶妳離開了巨大的克里特島
卻在一陣暴風雨後
將妳遺棄
於不知名的山嶼
妳追著揚長而去的帆影
揚著手呼喊――

就在這時候酒神從印度歸來
駕著豹變的戰車
率領孩兒體半獸人、
蛇纏的莽夫、擊鈸的淫婦、
揮豬蹄的野人、鈴鼓美少女、
騎驢的癡肥國王、扛酒甕的苦力…
披著粉紅的斗篷
英俊的酒神一躍而起
來強姦妳了！

2003-09-14 13:38:37

註：
英雄狄修斯(Theseus)是雅典王子。當時強大的克里特島國王要
求雅典每年要貢獻童男童女，成為迷宮中的人身牛頭怪
(Minotour)的犧牲品。於是狄修斯混入童男女的隊伍，企圖殺
死怪物。克里特公主 Ariadne 見到狄修斯後一見鍾情，私下給
他一把匕首與一團毛線，助他成功刺殺怪物，又循線走出迷
宮。於是狄修斯帶著 Ariadne 私奔，不料半途在某小島休息時
與她失散。從印度歸來的酒神正好遇見她，於是將她擄走。

NIKE [ca. 300-200 BC.]
Marble, Height: 2.95m
From the Sanctuary of the Great Gods at Samothrace
Found on Samothrace (an island in the north Aegean) in 1863
Paris, Museum of Louvre

Nike

終於承認
我是挫敗的首都
勝利女神降臨的時刻
我已無可毀滅
而所謂的勝利就是去紀念
立即掉頭飛走的瞬間
所謂的挫敗
就是匍伏在冰冷的偶像之下
依據身不由己的意志
任憑支配不知何時才能停止
直到她勝利的臉色
與勝利的手腕
都已頹圮
我仍是挫敗的首都
仍在懊悔臨去前的瞬間
我挽留不住的女神
而這就是勝利！

2003-10-17 01:57:35

註：

勝利女神(Nike)的出現，意味著「他者」的失敗。古希臘羅馬時代遺留的勝利女神石像，往往已遭到下一個勝利者的破壞，頭部與雙手多半殘損。

Glynnis Fawkes
A LOST PAINTING BY POLYGNOTOS AT DELPHI (4ᵀᴴ section)
Oath of Ajax; Neoptolemus
A Reconstruction Based on the Description by Pausanius

Loadice

特洛伊的美感
已被希臘人的美感埋葬
然而就算是希臘人的故事
也知道妳
永遠是父王最寵愛的女兒

城邦被敵人圍攻
妳卻愛上了敵人的使者
這是一個國族的戰爭
妳也知道
自己已被視為國族的象徵

但美感只是
後來編造的故事
敵人的使者
不可能要回敵人的美感
妳的愛，原應嘆息

妳照常耕織
就算男人們都在戰鬥
妳照常戀愛
就算男人們紛紛戰死
特洛伊與希臘的男人呀！

如果要俘虜妳
或是要找回自己
想想看戰勝者的下場
還是被敵人俘虜
如果妳的愛就只是這樣而已

不，妳永遠最受父王寵愛
從不顧惜過去也不理會未來
妳的愛就是現在
知道妳也
愛上了他的那位敵人、使者

但故事總是
後來編造的美感
敵人的俘虜
不可能要回敵人的愛
於城邦毀滅之後

妳照常被俘虜
就算連父王都已戰死
妳照常耕織
就算特洛伊與希臘紛紛毀滅
這就是故事的美感！

2003-11-09 00:26:55

註：
Laodice 是特洛伊城國王 Priam 最美麗的女兒，在特洛伊戰爭中，她愛上了希臘使者 Acamas——大英雄狄修斯(Theseus)之子。於是，他們在十年戰火的敵我雙方，產生一段戀情。但最後特洛伊城破，Laodice 被俘虜，成為另一位希臘武將的戰利品。

POMPEIAN WALL PAINTING
Image: Pelias is boiling by his three daughters, Hippothoe, Pelopea and Pisidice.
Naples, Museo Nationale

Hippothoe

嫻靜的女兒們
肅穆的宮殿
優雅地在庭院裡烹煮
父王的屍體
興奮，卻不苟言笑

啊！父王的皮肉
已像初生嬰兒般通紅
骨頭與筋絡也應恢復韌性
女兒們熱切期盼著
父王壯年的風采如初

因爲她們堅信
Renaissance 即將實現
只因爲她們誤信
異國的女巫

她將衰老的羊斬成肉醬
拋到金鼎裡烹煮
再施展青春永駐的幻術
使羊重獲新生
操縱了她們的信念

肅穆的宮殿
歡快的弒父
金鼎裡烹煮
微妙心願
嫻靜的女兒們

2003-11-11 22:53:35

註：

攸路卡斯(Iolcus)的國王 Pelias 篡奪了兄長的王位，又設計逼迫姪子 Janson 去海外冒險尋找金羊毛。Janson 九死一生到達金羊毛的國度，得到會魔法的敵國公主 Medea 的幫助，取得金羊毛，與 Medea 一起凱旋歸國，欲向叔父討回王位。Pelias 有四個女兒：Alcestis、Hippothoe、Pelopea、Pisidice，除了 Alcestis 已嫁給 Admetus 外，還有三個女兒未婚。Pelias 以嫁女兒給 Janson 為條件，才肯讓出王位，意志不堅的 Janson 竟忘了 Medea 的功勞，答應了這個條件。憤怒的 Medea 裝扮成女巫，以烹煮老綿羊變出羔羊的法術，使 Pelias 的三個女兒誤信 Medea 能讓她們的父親恢復青春，設計她們犯下弒父的罪行。Medea 以此毒計讓 Janson 取得王位，並順利嫁給他成為王后。

Claude Lorrain (b. 1600, Chamagne, d. 1682, Roma)
LANDSCAPE WITH PARIS AND OENONE [1648]
Oil on canvas, 119 x 150 cm
Paris, Museum of Louvre

Oenone

我發覺自己
已看不懂你眼中的風景
無法了解風景的意義
遠遠近近的城邦
轉眼間可能變成廢墟
你迷戀廢墟嗎？
我知道現代史起了變化
古代史就被重塑
你又在發掘自己了嗎？
啊！我已不解風情
成為你眼中風景的一部份
非人的身份

2003-11-13 11:40:47

註：
Oenone 是特洛伊王子 Paris 的前妻，本是愛達山(Ida)的仙女
(nymph)，通曉醫術。她在 Paris 誘拐 Helen 之前，就曾預言此
事會帶來特洛伊的毀滅。後來 Paris 在特洛伊戰爭中受重傷，
群醫束手無策，Paris 向 Oenone 求救，她起初不肯前去救治，
後來終究心軟，但趕到 Paris 身邊時，他已斷了氣。

Bernini Gian Lorenzo (b. 1598, Napoli, d. 1680, Roma)
APOLLO AND DAPHNE [1622-1625]
Marble, height 243 cm
Roma, Galleria Borghese

Daphne

早就知道我受不了
太陽沉重的輾壓與傾軋
雖說你看來如此輕盈
散放著光暈
可你只會將我化成灰
一吹就不見了
啊，我畢竟是河神的女兒
內涵無窮盡的靈靈水份
而你早就知道
我會變成一棵月桂樹
享受你無窮無盡的能量
恣意生長言葉
成為你的
卻敵冠

2003-11-18 02:14:37

註:
Daphne 是希臘神話中的仙女(nymph)，河神 Peneus 的女兒。她
厭惡太陽神阿波羅的追求，不斷逃避他，當她無可閃躲時，
她懇求父親將她變成一棵月桂樹。阿波羅感懷她的身世，遂
以樹葉編成月桂冠，作為詩人與勝利的象徵。
「卻敵冠」是兩漢時代宮廷衛士的軍禮帽。《後漢書‧輿服
志》:「卻敵冠，前高四寸，通長四寸，後高三寸，制似進賢，
衛士服之。」古希臘羅馬的月桂冠，也是凱旋將軍的冠戴，
當然，這與和卻敵冠的性質不同，我在此處只是取「卻敵」
二字的字面效果罷了。

Jean-Baptiste-Camille Corot (French, 1796-1875)
ORPHEUS LEAD EURYDICE OUT OF UNDER WORLD [1861]
Houston, Texas, Museum of Fine Arts

Eurydice

你的聲音
讓三頭狗失去了血性
永恆的饑渴者
忘記了殺子的罪行
調戲冥后的囚徒
也不再懊悔
黑帝放下了手中的筆記
你來了

依然那麼沉靜
你的低吟如素雅的織錦
是一毫毫純白的羊毛
在掌中搓捻成線
還有各色貝殼與草葉果實
在缽中細細杵搗
成爲永不褪色的染料
等著我

去織就你口誦的圖案
卻先讓整個冥府
驚豔與困惑
你就這樣微笑著走過來
低頭爲我解開
繫在腳上的毒蛇
扣在踝上的牙
如此輕易

頭也不回
就拉著我向外走
無視於冥后眼中的怒意

你的詩讓黑帝嘆息
啊！一路上絃歌不綴
地底的世界
變幻出無窮盡的奇異風景
與歧路

牽著你的手
我就知道你對地府已瞭若指掌
我的淚水就忍不住
啊！你到底受了多少苦
才能這樣自信地走到我面前
救我出去

但此際我只能看見
你的項頸與脊背
來不及確定
就飛快穿梭於危殆的意志之林
這是黑帝多年來暗藏的織錦
鉤纏著惡寒黑羊的冤氣
詛咒著——

我做最傻的事情：
「不要！」
當雄渾的地獄之門在望
一隊新鬼還泛著人間的光
我縮了手
你回頭看了我
完全失敗了
這一回顧有天壤之別

別問我為什麼要試探你
只此一念

生繼之以死兩隔永不相見
啊！可答案還在後面
更可怕的結局
永遠不會太遲
更甚
你的回眸

2003- 11- 25 01:35:37

註：

Eurydice 的丈夫 Orpheus，是阿波羅與謬斯女神 Calliope 之子，得到阿波羅真傳，成為才華洋溢的古希臘弦琴(lyre)歌手。Orpheus 曾參加 Janson 尋找金羊毛的艦隊，以美妙的琴聲與歌唱，成功抵擋賽倫女妖的誘惑。後來 Orpheus 與 Eurydice 相戀成婚，不料婚後不久 Eurydice 在野外意外遭毒蛇咬死。Orpheus 悲慟欲絕，於是進入地府，歷經千辛萬苦尋找到妻子，並感動了冥王黑帝(Hades)，准許他從地府帶妻子回到人間，唯一的條件是在走出地府之前，Orpheus 絕對不能回頭張望。走出地府的路程充滿恐怖，當 Orpheus 拉著 Eurydice 的手快要走出地府大門時，他不經意地回頭看了一眼，於是功敗垂成，妻子永遠被困在地府。

Diego Velazquez de Silva (1599-1660)
THE FABLE OF ARACHNE, OR "THE TAPESTRY WEAVERS"
[17th Century]
Madrid, The Prado Museum

Arachne

（看完之後，其實誰不想呢？）

本來我是想對妳說明
VELAZQUEZ 的時代
西班牙驅逐了摩爾人的巧匠
又在跟土耳其帝國打仗
伊比利半島的紡織技術爛透了
看這幅畫紡車就知道
此時正是法蘭德斯毛紡業的全盛期
而英格蘭正在崛起
織錦上的飛梭最終導致工業革命
頭戴戰盔的女神雅典娜
把紡織女奴變成蜘蛛
因為她是軍工複合體外加啓蒙主義！
這就是，神話的象徵意義

（看完之後，其實誰不想呢？）

可後來我告訴妳
這個女奴名叫織姝
她織錦上的白鹿
換個角度看就變成黑狼
反面則變成兩個男人雞姦的春宮圖
因為女奴愛上了女神
所以膽敢挑戰她
這是兩女的紡織戀戰
織姝織出宙斯神到處勾搭女人的醜態
摧毀了女神的戀父情結
女神惱羞成怒把女奴變成蜘蛛精
父權的戀愛獲得勝利！

這就是，神話的象徵意義

(看完之後，其實誰不想呢？)

不料妳對我說：
「來，到我懷裡來，閉上眼
別怕，不看就沒事了
來，你現在放輕鬆，
告訴我紀元前的地中海是怎樣的⋯」
我⋯畢竟只是個平凡人
待不住女神環伺的強光房間
「那麼你不用強求
待在女奴陰暗的斗室就好⋯」
那牆角有喜蜘蛛的網纏繞
飄散的絨線緩緩降下，又因風飛揚
啊！VELAZQUEZ⋯原來我要告訴你——
我放棄我的靈視！放棄靈視！

(看完之後，其實誰不想呢？)

2003-11-29 00:15:37

註：
少女 Arachne 紡織技術非常高超，連山林的仙女都來向她請
教，認為她受過智慧女神的指導。但 Arachne 認為自己是無師
自通，驕傲地向女神挑戰紡織技術，於是雅典娜親自降臨與
她比賽。當雅典娜在織錦上織出讚頌天神的圖案時，Arachne
的織品亦精工絕輪毫不遜色，但她竟織出女神的父神宙斯偷
情通姦的種種醜態，雅典娜一怒之下將她變成醜陋的蜘蛛，
永遠在暗處織網。

Illustration of Louvre G 341
View of side B: Niobids
Courtesy of the Musée du Louvre

Niobe

未來的日月
殘酷少年與佻撻少女
輕舒箭弦——射殺
我創作的兒女
啊！女神呀！
我引以爲傲的詩全都死了
絕後

羽根窸窣的邊緣
如天使折翼
每具屍體上都插著羽毛筆
我也悲慟失聲化爲磐石
但妳奪不走我驕傲的自由意志
和曾經發生過的神聖
譜系

2003-11-29 15:14:37

註：

Niobe 是底比斯城的王后，其夫婿 Amphion 是天神宙斯之子，她的家世高貴，具有神的血統，又擁有眾多子女，所以非常驕傲。有一次 Niobe 出言不遜，惹惱女神 Leto 子嗣稀少，於是女神命她唯一的一對子女，太陽神阿波羅與月神阿緹密斯下凡，以弓箭射殺 Niobe 全部的子女。Niobe 得知子女全數罹難後，竟還發狂地聲稱她還有眾多孫子孫女，結果他們全部被殺害，其夫婿亦憤而自殺。最後，Niobe 悲慟欲絕，化爲石柱。

〈餘論／輿論〉

陳水扁時期頹廢青年詩人之定義

　　我們二十幾歲的這群詩人，與其稱爲「六年級」，不如稱爲「陳水扁時期」的詩人，而且是「頹廢」的青年詩人。

　　所謂「陳水扁時期」，是他當台北市長到明年總統任滿的九年。(如果我們繼續寫詩，他又連任的話，就再加四年好了！)若找最大公因數，政治仍不失爲「斷代法」的依據。因爲陳水扁不只是陳水扁，而且是「陳水扁」！他的選舉和施政風格、他的打拼、他的作秀、他的躁進、他的鴨霸、他的改革理想、他如此依賴上一個世代、又如此強調年輕化、他種種務實卻又矛盾掙扎的困境、國際大環境的變局...或多或少都與我們的詩風存在著某種譬喻性的關聯。無論如何這九年間，是我們的智識成長期，也從此開始寫詩，我們至今無法形成任何詩風和詩派，也可以說是一直在變變變，唉！這可不是陳水扁時期嗎…

　　政治有時候就是「一切」，關於「陳水扁」、他的種種，已成爲我們這代青年的「集體記憶」。我高三那年，他競選台北市長，當時我認真地蒐集他的小旗幟、小手冊和文宣 VCD：那是場新型態的選戰、充滿語言符號魅力(或暴力)的選戰、詩意的選戰…緊接著在我考完聯考的暑假，他在總統府前「飆舞」，「介壽」路和「重慶」南路口豎起了搖滾演唱舞台：大型音響、炫目的燈光、高分貝放送的舞曲、數萬名中學生與大學生，就這樣在夜色下狂歡熱舞！當時我加入義工隊，身上穿著「飆舞」字樣的 T 恤、頸上掛著工作證，雖只在服務攤位跑腿打雜，但興奮與驕傲的單純感覺，真是難以言喻…的爽！

　　政治本是詩人欲面對的現實中，最首要的問題，但也被詩人視爲最骯髒的範疇，是詩人所要逃避的現實中，逃得最遠、最不擔心不能逃避的範疇。然而「陳水扁時期」的九年

中，台灣人民的所思所為，雖不能說被陳水扁主導，卻絕對被以他為象徵的某群人所牽引…就算他沒有當選市長和總統，其他當選人的做為也會非常「陳水扁」，所謂的「思維模式」(manière de penser)或「時代精神」(spirit of the age)大概就是如此吧！可是「陳水扁時代」終究陷入亞瑟王傳奇的悲劇，年輕的亞瑟在老巫師梅林的幫助下，拔出石中劍登上王位，卻遭遇天災人禍、王后外遇、與梅林反目、圓桌武士解散等困境，而我們也成為尋找聖盃的人…

就詩的創作而言，我們的確「頹廢」。我們的困境在於：我們有太多種可能的選擇、太多種可能的人生態度…但這些選擇在我們看來，或多或少都在自欺欺人，隱含了成套的結構性問題，或只是虛晃一槍、「鋸箭補鍋」的辦法…所謂的詩，難道只是逃避責任的含糊預言，謎面複雜但謎底尋常，或故作單純、演出一廂情願「我就是這樣相信」的宣言？抑或是裝可愛、以小賣俏地說：我沒考慮這麼多呀，只是任性地如此如此罷了；甚至故作老練、小孩學大人抽煙斗，好像過幾年也將倚老賣老似的？總之我們的嘗試與選擇太多，信仰卻太少。但這種「頹廢」並不是腐敗，而是沉溺，沉溺於某種自我的追尋，就像尋找聖盃的歧途…

我們追求詩的語言的獨立，太熱烈追求了，以致於喪失某種平衡感。我們想得越複雜，就越虛無。我們忘了某些單純的人情事理，與文明冗長重複的例行性。我們拼命朝自己的方向去「突破」，卻忘了「回頭」看看是否有門，而鑽入了牛角尖…我們是陳水扁時期頹廢青年詩人！

(曾刊於《台灣詩學學刊》，第 2 期，2003.11)